少年经济学院

我，首席财务官

灰鸽叔叔 著　油头鸭 绘

北京科学技术出版社

图书在版编目（CIP）数据

我，首席财务官 / 灰鸽叔叔著 ; 油头鸭绘 . — 北京 : 北京科学技术出版社 , 2021.11（2023.6 重印）
ISBN 978-7-5714-1711-6

Ⅰ. ①我… Ⅱ. ①灰… ②油… Ⅲ. ①财务管理—少年读物 Ⅳ. ① TS976.15-49

中国版本图书馆 CIP 数据核字（2021）第 148121 号

策划编辑：郑宇芳
责任编辑：郑宇芳
封面设计：杨沐梵
图文制作：曾仲宇
责任印制：吕　越
出 版 人：曾庆宇
出版发行：北京科学技术出版社
社　　址：北京西直门南大街 16 号
邮政编码：100035
电　　话：0086-10-66135495（总编室）
0086-10-66113227（发行部）
网　　址：www.bkydw.cn
印　　刷：北京宝隆世纪印刷有限公司
开　　本：787 mm × 1092 mm　1/16
字　　数：100 千字
印　　张：6.75
版　　次：2021 年 11 月第 1 版
印　　次：2023 年 6 月第 3 次印刷
ISBN 978-7-5714-1711-6

定　　价：49.00 元

京科版图书，版权所有，侵权必究。
京科版图书，印装差错，负责退换。

花钱之前需要了解的事

可能有许多人都希望能拥有巨大的财富，认为手里有很多钱是一件特别好的事情。其实仔细想想，大家向往的或许是可以随便花钱的乐趣。

有人觉得，只要当了大老板，就会拥有可以随便花钱的乐趣，但事实并非如此。如果我们有成立一个属于自己的公司的梦想，那至少要了解下面几件事。

第一件事，了解一个赚钱多的职位所需要担负的责任。企业的一把手、手握大权的高管和核心数据的员工，确实更容易获得高薪。但相对来说，这些人也需要具备符合职位的能力。这些能力可不是一两句“好好学习”就能达到的。

第二件事，了解一个赚钱多的项目所面临的风险。现在，一夜暴富的故事实在太多了，但过程是不是像看起来的那么美好，要打一个大大的问号。有人说，公司扩张、上市就是成功，意味着获得大笔的钱——但这笔钱，未必等于可以随便花的钱，也可能等于更大的风险。

第三件事，了解不同赚钱方式的不同价值。有人靠勤劳致富，比如白手起家，慢慢积累财富；有人在家族雄厚资本的基础上，让自己的财富更上一层楼；有人通过老房子拆迁、彩票中奖一夜致富。有些人可能在一夜暴富之后马上千金散尽，而有些人却聚沙成塔，让自己的财富越来越多。要守住财富，不是只有节约那么简单，也有一些思维习惯需要改变。

这本书里，有很多小故事，也许你看完后会觉得："哎呀，管钱原来那么麻烦，一点儿都不好玩！"

但这就是事实啊！

目 录

如何成为一个成功的CFO？

CFO是首席财务官的英文名Chief Financial Officer的简称。现在，这个职位越来越多地被大家所提及。如果说CEO（首席执行官）是一个“管事儿”的，那么CFO又是什么？是“管钱的”吗？如果是管钱的，那他和财务总监、总会计师又有什么不同呢？是不是所有的企业都需要CFO？想要成为一名CFO，需要具备哪些能力？具体又需要做些什么事情呢？

首席财务官、财务总监、总会计师到底谁的职位高？

这样比较有一点儿不科学。因为这 3 个职位诞生的背景不一样，在一些企业中，职能并没有明显的区别；有一些企业则没有必要同时设立这 3 个职位。

首席财务官

这个职位源于美国，最初是在一些网络公司和高新技术企业中设立。首席财务官是企业战略决策的参与者，属于企业管理层。一家企业要朝哪个方向发展，开展什么业务，要怎么花钱，怎么做更有利于提升企业价值，首席财务官都要参与。如果有人收购了一家企业，可能不会指派新的首席执行官，而是会指派新的首席财务官。

总会计师

总会计师这个职位源于苏联，在中国也主要出现在一些国有企业里，一般民营企业不会设置这个职位。总会计师是总经理的理财助手、经营参谋。

财务总监

财务总监是大企业基本都有的职位，负责财务核算，也就是发现财务问题、进行成本管理、报税等，是企业的“财务大管家”。

在实际生活中，有的财务总监相当于国有企业对总经理负责的总会计师，有的财务总监则是指财务部门负责人，也有个别财务总监相当于首席财务官。因此，还是需要弄清楚企业的职能设置，才能知道财务总监具体是做什么事情的。

如何成为一名合格的首席财务官？

首席财务官是财务人员在职业生涯上获得成功的一个象征，不仅职位高、待遇高，还一直是人才市场上的“抢手货”。那怎样才能成为一名合格的首席财务官呢？会算账、数学好够不够？

成为一名合格的首席财务官并不是一件容易的事情，首先需要具备下面这几种能力。

第一，管理财务工作的能力。这个能力可不仅仅是会算账、开发票、计税，从专业角度来说，它包括财务组织建设能力、企业内控建设能力、筹措资金能力、投资分析决策和管理能力、税务筹划能力、财务预算能力、成本费用控制能力、分析能力、财务外事能力、财务预警能力和社会资源能力等。

我们把这些能力稍微整合一下，就会发现首席财务官不仅要会算账，还要能从账本里发现问题，给企业负责人提供有效的建议。例如，你看到企业的经营报表不太理想，就要发出预警并把这个预警信息传达给企业负责人，并且给出应对的方法，而不是想“反正是老板定的，老板负责”，或者等到出现严重问题后才想着补救。这就是首席财务官在财务工作中和普通财务人员的差别——他不能只把自己看成一个“打工的”，而是要把自己看成企业战略决策的参与者。这种参与也不是靠猜想，而是要有一套科学的方法。

第二，对外交流的能力。CFO 可不是坐在办公室对着电脑做表格的人，这个职位需要和很多部门打交道。对外，要和银行、税务、工商等部门打交道，如果是上市公司或者有上市计划的企业，那还要和券商、交易所打交道。因为企业所有的经营数据，CFO 都要做到心中有数；对内，要和每一个花钱和赚钱的部门打交道，事实上也是在帮老板判断哪些花费是值得的，哪些花费是有问题的。老板有时会用情怀、喜好，甚至胆量来进行决策，但 CFO 就是依靠客观而冷冰冰的数据进行判断，给老板一个决策的依据。从这个角度说，CFO 是一个需要具备高超交际能力的职位，要能和内外各个部门进行沟通，不能只坐在办公室里做账本。

第三，特别敬业的精神。敬业精神每个工作者都应该有，但

CFO 面临的挑战更大。因为他掌握着企业的核心数据，所以还需要有良好的职业道德。例如，面对竞争对手的诱惑，一个 CFO 需要知道自己的言行是否符合职业准则。另外，CFO 要为企业发展提供决策建议，这些决策建议的真实性、准确性、完整性和及时性非常重要。在某些职位上，如果出现了工作失误，可能补救起来并不复杂，最后造成的损失也有限。但 CFO 如果出现了工作失误，哪怕是反应慢了一两天，都可能会大大增加企业的经营风险。所以，如果你希望成为 CFO，就要清楚地了解这个职位要面临的挑战。

要做一个好的财务工作者并不容易，做一个合格的首席财务官更难。大家可能觉得“管钱”是一件能令人开心的事情——这是把“管钱”和“花钱”混淆了。花钱才是开心的事，管钱的责任相当重大，而管理一家企业的财务工作，更是有着巨大的压力。CFO 确实是一个高薪职位，但要胜任这个职位，并不容易。

经济学随堂笔记

首席财务官、总会计师和财务总监在理论上是3个不一样的职位，工作重心也有所不同，但在实际生活中，它们的工作内容会出现重合。相对来说，CFO更需要参与企业的决策，而不仅仅是“老板安排做什么，我就做什么；老板不安排，我就等指示”。一个优秀CFO的标准是：具有独立的判断力和超强的商业意识并对业务有透彻的了解。他不是一个账房先生，而是一个有着丰富财务知识的领导者。

小思考

想想看除了前面提到的，成为一个CFO还需要具备哪些能力？

资金为什么要有“链”？

你听说过“资金链”吗？

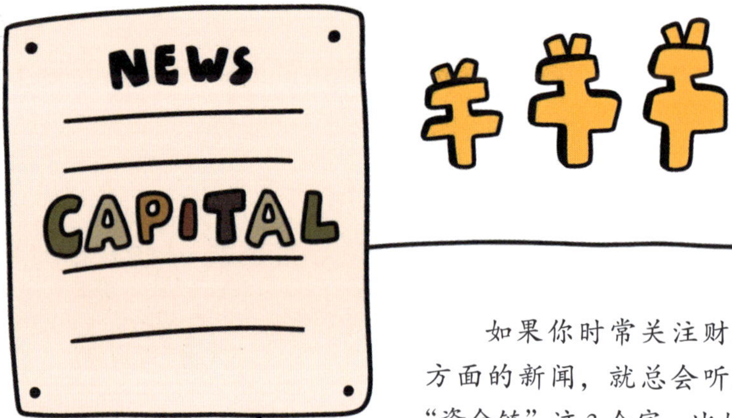

如果你时常关注财经方面的新闻，就总会听到“资金链”这3个字，比如，“完善的资金链”“资金链断裂”等。资金链一断，往往还是大事儿。因为资金链断裂，企业就有可能破产，会有很多人因此失去工作。

什么是资金和资金链？

资金其实就是钱，它通常以货币形式呈现。对一家企业来说，资金就是经营一家企业所需要的钱。企业需要资金来进行生产、周转等，以维持企业的正常运转。

资金链是一家企业维持正常的生产经营所需要的基本循环资金链条，即现金—资产—现金（增值）的循环。一家企业如果要维持正常运转，就必须保持这个资金链良性循环，即不出现资金链断裂的情况。

小企业的资金链：营收和成本

资金链并不神秘，我们每个人的身边都有资金链，只不过有的资金链长，有的资金链短。我们也可以把资金链理解成钱流动的轨迹。具体到公司运营上来说，其实就是从投入到产出，然后再重新投入生产的一个闭环过程。因此，资金链是对这个过程的一个比较形象的说法。

一家小企业的资金链，确实就是营收和成本，并不复杂。就像家门口的小便利店，它的资金链很短，也很清晰：老板花 100 元从批发市场进货，然后货物放在货架上，以 200 元的价格卖掉，这样老板就赚了 100 元；老板再拿这 200 元去进货，这次买的货物更多，能卖 400 元，就能赚 200 元……

当然这是一个倍增的理想状态，实际情况可能是，这家便利店只能卖出 200 元的货物，因此只用 100 元进货就足够了，赚的 100 元可以存起来。就算有段时间卖不出去，亏损了，下次可以少进一些货，最坏的情况也就是关门，损失不会是天文数字。

中型和大型企业的资金链

我们以前面提到的便利店为例。这家便利店的老板有危机感，也有野心。

什么是危机感？

危机感就是便利店老板对盈利的担忧。他发现周围打算开便利店的人越来越多，如果自己还是按照原来的模式做生意，生意可能会越来越差。

什么是野心？

野心就是便利店的老板想要扩张。既然周围几个小区都有对便利店的需求，那他就可以租下合适的店面，从一家便利店变成连锁便利店。一家店进一次 100 元的货，可以赚 100 元，5 家店就能赚 500 元，规模大了，竞争对手少了，赚的钱也多了，何乐而不为呢！

如果便利店老板手上只有 100 元，进完货就没钱了，那他拿什么去租其他的店面？怎么做大做强呢？就只有借钱了。只要能借到钱，他就可以先把店铺租下来，等赚钱了再还。不管是向银行贷款，还是融资，本质上都是借钱——用别人的钱，做自己的事。赚了钱之后，连本带利还给别人，但自己赚得更多。

便利店老板借了100元，约定到期后要还120元，但因为100元能带来200元的收入，所以就算支付了20元利息，还能赚80元。于是，便利店老板就借了很多钱，把好几个小区周围适合开便利店的店铺都租了下来，开成了小有规模的连锁超市。此时，便利店老板已经不是小企业老板了，变成了中型企业的老板。

然后这位老板发现，这个模式很不错，开始开拓更大的市场，变成大老板。于是，他的企业越做越大，赚的钱也用来租下更多的店铺。

资金链断裂的典型案例

如果有一天这家便利店所在的地区有突发状况，所有店面都被迫关闭了。那所有原来进100元货就能有200元收入的便利店一下子没了生意，有的只有50元收入，有的甚至是0元。那么，这时候的亏损还是一家店的亏损吗？不是，是每家店都在亏损，但借的钱到期依然要还本金和利息。

这时，便利店以前赚的钱已经全部用在开新店上了，老板手头没有太多可用的积蓄，

便利店老板既没有多余的资金可以还钱，更没有多余的资金用来维持便利店的正常运转。这就是一个“资金链断裂”的典型案例。尤其是一些扩张比较快的企业，一旦遇到市场变化，比如花100元进货，本来能有的200元营收变成110元，如果还是原来的小店，还能赚10元；但如果是后面的连锁店，那几家店都处于亏损状态，借的钱还不出，也没办法变回原来的小店。

经济学随堂笔记

企业不能盲目扩张，你不能理想化地觉得后面有多少投资，能借到多少钱，多长时间可以上市，也要想到如果经营不顺利，资金能维持多久。但有时候扩张不迅速，市场就会被别人占领。所以，扩张与经营安全的平衡点一直是每个企业都要面临的问题。如何权衡两者的关系，也是企业老板需要考虑的问题。

小思考

你长大以后想做什么？想创办企业吗？你弄清楚了资金链的意思了吗？

企业为什么要做概念产品？

什么是概念产品？为什么要有概念产品呢？

就像有些汽车厂商会推出概念车，但我也不明白为什么要有概念车？

不管是手机厂商的概念机，还是汽车厂商的概念车，从外观看，都特别先进、特别有科技感，是代表未来的产品。

概念机和概念车一样，都是最新科技成果，代表着未来某一类产品的发展方向，是介于设想和现实之间的产品，向人们展示新颖、独特、超前的构思，反映人类对技术的追求。概念机和概念车往往只是处在创意、试验阶段，不投产的可能性很大。

既然代表了未来，并且已经造出来了，那为什么不把未来变成现在，直接量产呢？

为什么概念产品不能大规模生产？

手机厂商的概念机分两种：一种是还在纸上的，是理论上的概念设备，以现有的生产能力还不能生产；另一种是已经生产出来的，但产量很少，可以展现“未来”的趋势，展示在橱窗里，让大家认为“再过 10 年每个人都会用这样的产品”，但有可能它最后并没有走向市场。

以概念车为例，每年的车展大家都会看到一些“神仙车”，它们造型独特，色彩绚丽，也能发动，产品的宣传册上会说，这就是未来的车的样子。但为什么这样的车不对外销售，不大规模生产呢？其实归根结底有两个原因：一是成本太高；二是好看的未必实用。

研发概念产品的目的是什么？

研发概念产品的目的，其实是为了传递品牌理念，向消费者展示高超的工艺水平，让大家对产品有良好的印象，提升品牌形象。大家一看，这个品牌能设计出这么漂亮的产品，说明它对未来有想法，在技术上有追求，因此现在的产品的质量应该也很好。

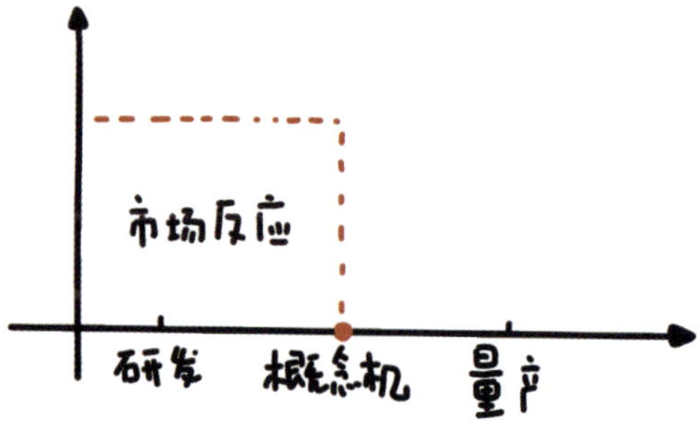

手机制造企业推出概念机，也未必是真让消费者去购买，而是想展现企业的实力，让大家继续信任企业的产品。至于概念机的实用性，则是存疑的。

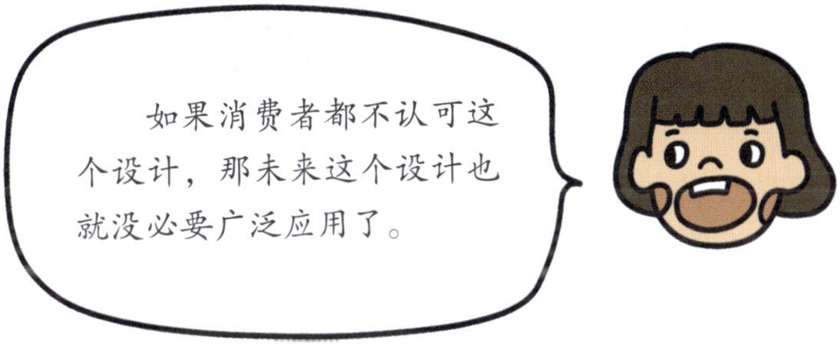

经济学随堂笔记

事实上，大多数的概念产品都不会走向市场，或者只有第一代，没有第二代。因为市场和科技的发展从来不是按部就班、可以精准预测的。概念产品真正的作用是把厂商的研发实力和部分计划直观地展现在用户面前，增强用户信心，提高用户黏性，同时还可以树立品牌形象。如果真有几个概念产品突围而出，成了代表“未来”的产品，那真是非常幸运了。

小思考

描述一下你心中未来手机的样子，说说它应该有什么功能？外观又是什么样的？可以画出来哦！

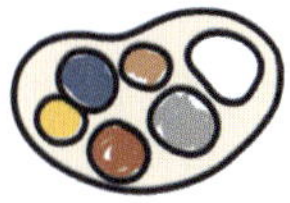

为什么一些大企业选择不上市？

华为是《财富》杂志发布的全球500强公司中唯一一家没有上市的IT公司，它的产品和解决方案已经应用于全球170多个国家，服务于全球1/3的人口。

2020年，华为在研发方面投入了1400多亿元，在2020年欧盟工业研发投资排行榜中位列第三。

什么是股票市场？

股票市场就是股票发行和交易的场所，参与者包括市场主体（股票发行者和股票投资者）、证券中介机构、自律性组织（行业协会和交易所）和监管机构。简单地说，股票市场就是投资者可以对上市公司进行投资的场所，也是上市公司募集公众资金的场所。

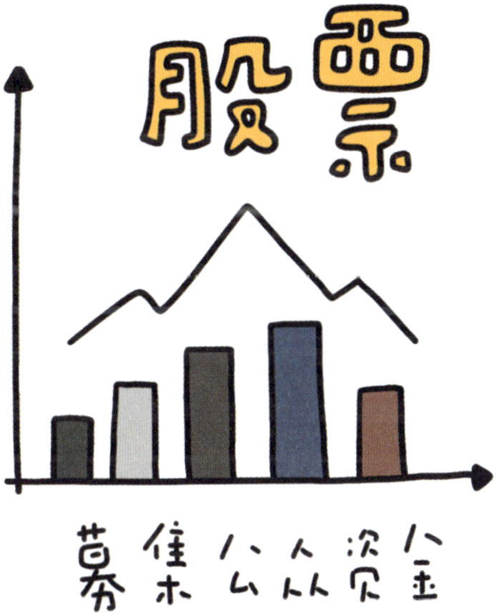

为什么要上市？

一家公司上市后，可以向股民出售股份。上市公司得到了股民的钱，股民持有了这家公司的股份。这个股份未来是增值还是贬值，取决于公司的发展状况。公司不上市，就无法获得普通投资者的投资，不能顺利地募集公众资金。

一家公司要扩大规模，就需要大量、长期的资金投入。如果单靠公司自身的资本化积累很难满足生产发展的需求，就需要从外部募集资金。例如，一家包子铺每天卖出 200 个包子就能盈利，但如果想多盈利，同时卖一些烧卖，那就需要招聘新员工，并且每天支出制作烧卖的成本。但仅靠卖包子的盈利，不足以支付制作烧卖的成本，所以，这家包子铺需要募集资金。

公司募集长期资金一般有下面这几种方式：第一种是向银行借贷；第二种是发行公司债券；第三种是发行股票。前两种方式的利息较高，并且有时间限制。而利用发行股票的方式来筹集资金，就不需要还本金和利息！只需从利润中划出一部分，给投资者支付红利就可以。就像包子铺号召左邻右舍来购买包子铺的“股份”，卖包子和烧卖获得的利润就可以划一部分出来作为每年年底给大家的分红。

股票投资者

购买股票的人就是股票投资者。他们看好一家公司未来的发展前景，就会购买这家公司的股票，成为它的股东。如果这家公司的股价上涨，股票投资者就能拿到分红，获得更高的收益。个人投资者被称为散户。投资者也不仅限于个人，机构也可以成为投资者。

股票的价格

投资者购入的股票到底值多少钱？取决于投资者对市场的判断。如果大家都觉得这家公司前景好，都抢着买，股价就会上涨。后来的投资者就需要用更高的价格来获得有限的股份。如果大家都不看好这家公司的发展前景，都不买这家公司的股票，股价就会下跌。

对投资者来说，能不能赚到钱依靠的是自己的判断能力和机遇，股市是有风险的。购买股票时看中的公司，未来未必能更好。如果它的股价一路下跌，投资的钱也会变得越来越少。如果公司最后退市或者破产了，投资的钱也就都亏没了。

股民购买股票的原因

首先，购买股票是一种投资。股民期待购买的股票能带来更高的收益。其次，从理论上来说，购买了一家公司的股票后，就成了这家公司的股东，可以行使股东的权利，可以去开股东大会，向大股东提问。如果是大股东，还可以主导公司的发展方向。

大企业不上市的可能原因

试着回答下面的3个问题，我们就会发现，很多大企业上市的必要性并没有那么强。

第一，是不是急着需要广大投资者，即股民的钱?

第二，是不是能接受更多人来指手画脚?

第三，是不是希望现在的股东，尤其是广大持股员工继续在本公司持久地干下去?

经济学随堂笔记

上市确实可以让企业获得更多的资金，提高知名度，企业管理也更透明规范。上市是很多企业在发展过程中会走的一步路，但上市之后还需要踏实经营，才能对得起购买股票的股民。因此，上不上市不是检验企业成功与否的标准，坚守底线、用心服务好每一位用户，才是成就“百年老店”的不二法门。

股市投资需要投资者对所投资的企业以及企业所处的行业有深入的了解，因此投资者需要掌握一定的专业知识，并不能靠一些小道消息赚钱。

小思考

如果华为上市了，你会建议父母买它的股票吗？原因是什么？

从华为的角度回答一下前面提到的3个问题，看看你的答案是什么？

“零利率”真的能活跃市场吗？

2020 年 3 月 15 日，美联储紧急宣布，将联邦基金利率目标区间降至 0~0.25% 的“零利率”，并启动规模达 7000 亿美元的资产购买计划。这是同一个月里，第二次紧急降息——也是 2008 年金融危机之后，“0”这个数字又一次出现在美国的利率史上。

“零利率”是一种手段

“零利率”甚至“负利率”往往是在经济局势比较糟糕的时候出现的。例如，市场上的流动性严重不足，大家都不愿意投资、消费，认为干什么都会亏损，市场极度萧条。

在这种情况下，为了活跃市场，让资金流动起来，“零利率”甚至“负利率”就成了一种手段：如果在银行存钱，没有利息，甚至还要交保管费，大家就会把钱用到其他地方；同时，因为存款利息大幅降低，贷款利息也会随之降低：原来存款利息是3%，贷款利息可能是6%，银行赚3个点的利差；那现在，存款没利息了，贷款利息可能只有3%。如果企业要向银行借钱做项目，甚至给员工发工资，压力都相对会小一些。

“零利率”带来的效用

理论上说，只要银行降低利率，股市就会上涨，因为资金会从一个地方流动到另一个地方。

利率是一定时期内利息额与借贷资金额（本金）的比率。所有国家都把利率作为宏观经济调控的重要工具之一。当经济过热、通货膨胀时，国家就提高利率、收紧信贷；当经济过热和通货膨胀得到控制时，国家就会把利率适当调低。因此，利率是重要的基本经济因素之一。

为什么呢？其实原因很简单，如果钱放在银行里没有利息，也就意味着没有收益，那把钱取出来去做其他的投资是不是一个更好的选择呢？如果答案是“是的”，那零利率当然是一个有效的救市举措；如果答案是“不”或者不那么确定，那我们就要好好琢磨一下。

当利率很低时，我们可以思考下面这两个问题。

第一，贷款的压力确实小了，但是不是有很多人愿意贷款？银行是不是愿意贷给他们？

第二，存款的收益确实少了，但是我们是不是愿意把钱花出去？这两个问题的答案基本可以确定“零利率”带来的效果。

特殊时期银行和企业的对策

我们都知道，不少企业可能都在某些时候急需资金来度过危机。所以，低息贷款是很多企业都需要的。但是，站在银行的角度来看，如果一家企业只能接受很低的贷款利率，那就说明它的盈利能力差。将来如果形势稍有变化，它可能就还不起钱，银行借出去的钱就会变成坏账。这样一来，银行愿意借款的额度就会减少。但对企业来说，如果贷款额度很低，可能就不借钱了，尽量自己扛过难关。

正常情况下，企业对经济复苏会有自己的判断。按照淡季、旺季划分经营周期，可以对企业的经营状况进行预估。

在特殊时期，这个判断就无法按经济周期预估，很多企业可能就选择从头做起。而且在特殊时期，贷款的流动性是否能达到政策制定者的预期，并不容易确定，至少不能按照单纯的金融危机来推断。因为金融危机的周期能大致推断，金融市场会在人们的投资热情消失之后陆续重建。

旺季

淡季

经济学随堂笔记

在缺乏安全感的时候，人们并没有太强的投资意愿，甚至没有太强的消费意愿。人们首先思考的是：囤积生活必需品、持有现金。而这些做法并不能提升市场的活跃度。

例如，大家都买方便食品，在家用餐，在食品领域的消费似乎提升了，但对于餐饮行业来说，消费就下降了，而餐饮行业带来的消费额度显然更大。同时，如果大量企业没有开工，没有收益，大家也不会去购买这些企业的股票，从而导致大量资金依然处于闲置状态。也就是说，人们并没有因为“零利率”而把钱取出来做其他投资。因此，“零利率”期望实现的流动性，在一些特殊情况下，打了不小的折扣。

小思考

你觉得“零利率”的好处是什么？

诺贝尔经济学奖关于“贫困”的发现

从 1993 年起，联合国将每年的 10 月 17 日设为“国际消除贫困日”，以唤起世界各国对全球贫富悬殊的关注。从 2014 年起，中国将 10 月 17 日设为“扶贫日”。

为什么要关注贫困问题？

有人说，存在贫富差距是正常的，应该允许有些人富有，有些人贫穷，但差距悬殊会给社会带来巨大的危害，其中有一个危害就是人道主义危机。很多人贫穷的原因不是自己不努力，而是出生在贫瘠或者战乱的地区，从小要考虑的是今天会不会饿死的问题，在生存面前，很难再去考虑教育等其他问题。

贫困是对人权的侵犯，是“无声的危机”，不仅严重阻碍了贫穷国家的社会经济发展，也是地区冲突、恐怖主义蔓延和环境恶化等问题的重要根源之一。如果任由这种差距无限扩大，最后损害的是所有人的利益。因此，消除可能引发人道主义危机的贫困，一直是经济学家努力的方向。

捐款能解决贫困问题吗?

让富有的人捐钱给贫穷的人，是不是就可以缩小贫富差距了？但捐多少，怎么捐呢？首先，富人的钱不是大风刮来的，也是自己辛苦赚来的，不能强迫富人捐钱；其次，如果总是被迫捐钱，富人就懈怠了，因为赚得多要捐给别人，那赚钱的欲望就降低了，最后反而会导致普遍性的经济衰退；最后，就像我们常说的，“授人以鱼不如授人以渔”。

经济学家的回答

那怎么“授人以渔”呢？要看这些国家或地区在基础建设、教育、商业方面有没有可改进的空间，是不是做一些调整，有些地区就能自主摆脱贫困和人道主义危机？这些国家和地区是不是有一些做法，影响了脱贫的进展，等等。2019年，诺贝尔经济学奖的获得者——3位经济学家：阿比吉特·班纳吉、埃丝特·迪弗洛和迈克尔·克雷默，通过田野实验创新研究，提高了我们应对贫困的能力。

2019年诺贝尔经济学奖获得者

为什么他们的田野实验能获得诺贝尔经济学奖？这是因为它将贫困问题分解成一个一个小问题，让每个国家、地区甚至社区，都可以用这项研究的成果指导工作。当然这项研究是一个长期的过程，细致而复杂。

教育

研究人员最初研究的是如何解决教育问题。在贫困地区，教科书是稀缺资源，可能十几个孩子共用一本书。那如果给孩子们更多的课本，他们的学习效果会得到改善吗？研究人员到肯尼亚西部的农村做调研：为一组学校提供更多的课本，为另一组学校提供免费的学生餐。结果表明：不论是更多的课本还是免费的学生餐，都对学习效果没有任何影响。

看来，问题并不是资源缺乏，而是教学没有充分适应孩子们的需求。最有效的方法是什么呢？研究者发现，如果把同样的新增资金用于招聘更多的老师，效果比送书、改善校舍有用得多。因为，老师数量增加后，就会有更多的学生能被老师关注到，而当更多的学生意识到“老师在关注我”的时候，整体的学习效率就会得到大幅提升。

随后，类似的田野实验在其他国家相继开展，研究重点放在了诸如对健康的关注、获取信贷和采用新技术等重要领域。由于实验的评估标准很细致，所以这些评估标准也被用来判断减贫措施的效果。

在许多贫困地区，教师的缺勤率很高，教育资源普遍薄弱。但研究人员发现，激励教师的一种方法是与他们签订短期合同，如果表现好则延长合同期限。同时，研究人员也发现，由签订短期合同的教师教授的学生，在学习上的进步更为显著。而且这种措施比送书、建学校更加有效。

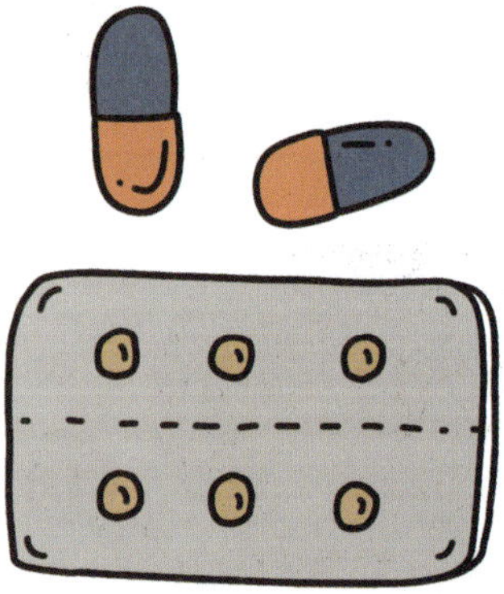

医疗服务

研究人员在调查驱虫药物的价格如何影响需求时发现：当药物免费时75%的家长都会给孩子服用；而当药物需要花比较低的价格购买时（补贴后的价格），只有18%的家长会买。贫困人口对预防性措施的投入价格敏感度非常高。这项研究表明，在极度贫困地区，一些公共服务应该免费，不然很可能起不到效果，甚至引发人们的反感情绪。

贷款和采用新技术

很多人可能都认为，在贫困地区不少人需要小额贷款，但实验表明，小额贷款对贫困地区的小型企业只有很小的正面效果，并且对消费或其他发展指标都没有影响，而且很多人不太愿意接受更为先进的技术。就算你向当地人展示了新技术，劝说他们使用新的农业技术，并告诉他们一个月后就会看到效果，但他们只要觉得现在的日子能过，就不会考虑改进。

这意味着在贫困地区，就算贷款的利息很少、门槛很低或者新技术潜在的收益很高，人们也不愿意为了一个远期生产目标去贷款或采用新技术，人们更喜欢的是“马上可以拿到手的一笔补贴”。

3位获奖者的工作直接或间接地对全球范围内的贫困政策产生了明确的影响。这些被研究者评估后扩大规模的项目，已经影响了4亿以上的人口。可能有人会说：“这看起来好像也没什么伟大的。”但3位获奖者的实验有一个非常重要的作用，就是提高扶贫的效率。扶贫工作也包括不在一些无效项目上投入。就像教育，与其花费大量钱去给孩子买课本，不如先把老师的合同改一改。所有这些数据和研究成果都可以让政府和相关机构避免无效投入，从而在有效措施上投入更多资源。

经济学随堂笔记

田野实验和在办公室里分析数据不同，它要求调研者要与被调研对象共同生活一段时间，从中观察、了解和认识被调研者的社会与文化习俗。对经济学家而言，田野实验就是离开各种数据图表，直接走入贫困地区，去了解贫困背后的原因，并通过各种方法来试验应对贫困的方法是否有效，并把那些行之有效的方法推而广之，这是非常了不起的成就。很多人可能认为，贫困就是因为缺少资源，有了资源，就能解决贫困问题，而3位诺贝尔经济学奖获奖者的田野实验证明，能不能有效利用资源，远比提供资源更重要。

小思考

你们重新认识了贫困的含义吗？

你觉得最好的解决贫困问题的方法是什么？

世界500强企业到底强在哪儿？

每年，《财富》杂志都会公布新的世界 500 强企业排行榜。这个 500 强企业的排行榜是怎么来的呢？为什么要排这个榜呢？

世界 500 强企业的起源

1955 年，美国《财富》杂志的编辑们计划按照企业营业收入制作了一个排行榜。因为企业营业收入是衡量企业经营状况最可靠、最有力的证明，也是最有现实意义的指标。于是，第一个美国本土企业的 500 强榜单就出炉了。

这个榜单引起了巨大反响，上榜的各家企业都以上榜为荣，认为这是展示企业实力的好机会；投资者、求职者也把这个榜单作为一个参考依据。榜单的影响力开始慢慢扩大。1957 年，《财富》杂志第一次为美国本土以外的企业制作排行榜。1976 年，世界 500 强企业排行榜出炉，但仅包括美国本土以外的企业。1995 年，包括美国及世界其他国家和地区的企业在内的综合榜单正式问世，这也是第一个真正意义上的世界 500 强企业排行榜。

因为《财富》杂志的专业性，世界 500 强企业排行榜慢慢成了商业界最受瞩目的榜单，成了企业、行业甚至国家之间参照的基准；它不仅仅是企业实力的证明，也是国家综合实力的体现。

评比标准

美国另外两份杂志《福布斯》和《商业周刊》也同样推出了企业排行榜，《福布斯》以年销售额、利润、总资产和市值等作为指标；《商业周刊》则是把市值作为主要参考依据，强调成长性和想象力，因此科技企业更受重视，且仅限于发达国家的企业。而《财富》杂志包含世界各个国家及地区的企业，以营业收入为主要依据，比较重视企业规模，传统企业在这一榜单上较有优势。

中国企业的进步

以变化较大的 2020 年《财富》杂志的榜单来说，500 强企业总营业收入达到 33 万亿美元，创下历史新高，接近中美两国 GDP(国内生产总值)的总和。沃尔玛连续 7 年成为全球最大企业，中国石化位列第二，国家电网上升至第三位，中国石油位列第四，而壳牌石油下降至第五位。上榜的互联网相关企业共有 7 家，中国的京东集团、阿里巴巴集

133家公司上榜

团、腾讯公司和小米集团位列其中。

从这份榜单上看，中国企业实现了一个历史性跨越：榜单上中国大陆（含香港）的企业数量达到 124 家，加上中国台湾地区的企业，中国共有 133 家公司上榜，历史上第一次超过美国（121 家）。由此可见，中国企业的国际影响力越来越大。

中国企业面临的挑战

虽然每年都有不少中国企业登上《财富》杂志 500 强企业排行榜，但中国大企业收入的提升，并不代表整个国家企业收入的一并提升。能够进入《财富》杂志 500 强企业排行榜，也只能证明中国大企业的实力，并不能体现中小企业的发展状况。对于一个国家来说，只有大中小企业齐头并进，经济发展才能更均衡、更健康。而对进入榜单的中国大企业来说，依然有不少挑战需要面对。

首先，中国大企业的盈利能力普遍偏低。《财富》杂志的排名只看收入，不看盈利。如果你的营业收入是 100 元，成本是 80 元，那盈利就是 20 元；如果你的营业收入是 60 元，成本是 30 元，那盈利就是 30 元。很多人宁可做后一种生意，但在《财富》杂志的排名里，前面一个才会有更好的名次。中国大陆 124 家企业平均利润不到 36 亿美元，而世界 500 强企业的平均利润是 41 亿美元。上榜的中国大陆企业平均销售收益率为 5.4%，平均净资产收益率为 9.8%，分别低于美国企业的 10.5% 和 17%。在营业收入上，这些企业确实看起来很高，但在盈利能力上，并没有达到世界大企业的平均值。

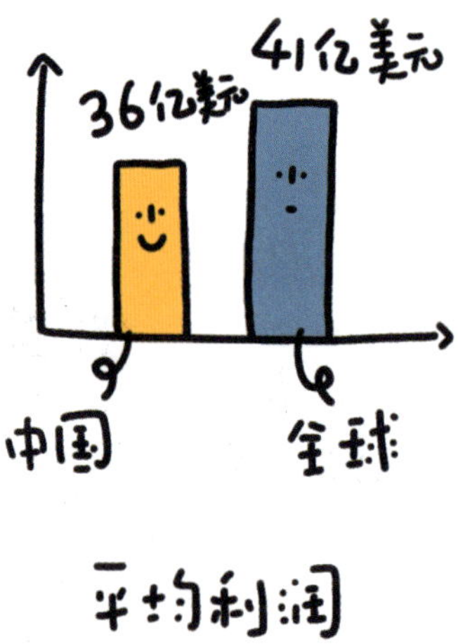

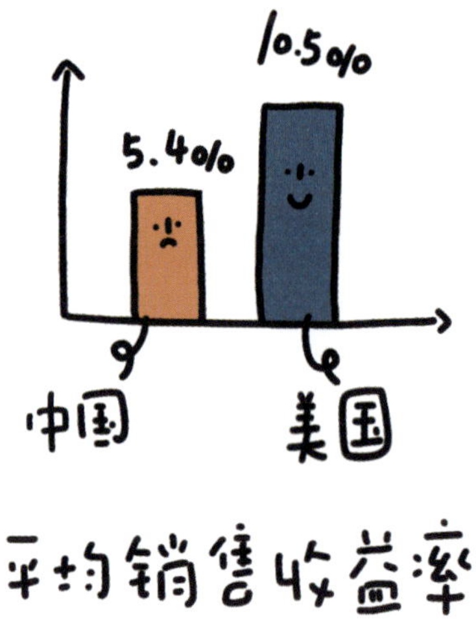

其次，中国银行类企业几乎每年都占据了上榜中国大陆企业利润总额的“半壁江山”，不少年份甚至超过了半数。银行类企业利润占比高，主要还是因为中国人口基数大，并不意味着这些企业有巨大的国际影响力，也很难代表行业创新。以 2019 年为例，如果不计算银行所得利润，其他企业的平均利润只有约 22 亿美元。而美国非银行类企业平均利润高达 63 亿美元，大约是中国大陆企业的 3 倍。

因此，中国大企业要做的是，通过技术创新提升企业的利润，扩大国际影响力，让实力更上一层楼。

经济学随堂笔记

正如《财富》杂志总结的：改革开放40年中的前20年，中国企业从无到有；加入世贸组织以来的20年，中国现代化企业从小到大。而现在的中国企业则面临一个新挑战，就是如何从大转变为真正的强大。面对世界500强企业排行榜，我们还是要保持清醒的头脑。

小思考

找一找家里的生活用品，看看哪些是由世界500强企业制造的？收集一下资料，分析一下这些企业的优势和劣势。

内循环到底怎么循环？

内循环是指从生产到消费，维持社会运转所需要的经济活动，都在“内部”进行。也就是说，一个国家内部的供给和需求形成循环。

内循环的机遇和挑战

生产效率

如果我们把地球看作一个村——地球村，那么一个国家就是一户人家，村里有很多户人家。每户人家地理位置不一样，擅长的事情也不一样。例如，张家门口有一块特别好的地，张家种出来的果子特别大；李家门口有一口井，可以打出清凉甘甜的水；刘家擅长养猪；王家擅长做衣服。于是，大家就根据自己的特长和地理位置做自己擅长的事情，再把劳动成果和别人交换。王家做了很多衣服，拿着衣服去换果子和猪肉；刘家扛着猪肉，去换水，大家都各自根据自己的强项分工，村子的生产效率特别高。

但有一天，突然各家各户被禁止来往了。擅长做衣服的王家，做再多衣服也没有用了，因为衣服换不出去。为了维持生计，王家开始养猪，并且需要在院子里打一口井，还要去翻整门外的土地。虽然日子也能过，但问题是王家养的猪未必有刘家的好；因为位置的问题，井水也没有李家的甘甜；土地的肥沃程度也不如张家，种的果子也不好吃。王家只是满足了基本的生活需要，实现了自给自足，但无论是生产效率还是最终的生活质量，很可能都不如以前高。

过剩

原本具备出口优势的产品，如果依然保持原来的产量，能在国内市场顺利地完全销售出去吗？国内未必真的需要那么多的产品。例如，一家毛巾厂生产的 100 条毛巾里有 50 条是卖到海外的；如果没有了海外市场，那这 100 条毛巾在国内市场或许最多只能卖出 70 条，会有 30 条滞销；而如果减少产量，不再生产 100 条毛巾，那也就不需要那么多工人了。所以，如果是完全的经济内循环，就很容易造成产能过剩、产品积压，并使得劳动者失业。

生产能力

我们能不能生产出本来需要进口的产品？绝大多数能。因为中国的产业结构还是比较合理的，但肯定也存在短板，比如制造手机需要的芯片。虽然大家都为中国芯片加油鼓劲，但客观地说，如果现在芯片开始全面国产化，国产手机的计算能力会倒退很多年。一些农产品，不管是大豆还是白虾，将其用大货船从国外运到中国，成本或许比自己种植或养殖还便宜。

完全靠自己，也能循环起来，但有些产业会在短期内面临价格和质量的双重压力。

所以，从经济角度来看，完全“内循环”是不合理的，这是“没有办法的办法”。就像地球村的那个比喻，因为现在李家的井水不对外开放了，王家只能自己挖一口井，以维持基本的生存需要。

提升内循环质量的两个关键

实现科技领先

提高科技能力是提升内循环质量最有效的方法。例如，通过育肥，让自家门口的土地也变成适合播种的好土地；勤学苦练，自己也学会缝衣服。国家为什么大力支持科技创新，鼓励自主研发飞机、研制芯片？明明能买现成的为什么还要不断投入大量资金？为的就是万一别人不再向我们出口，我们自己也有产品可以填补空缺。

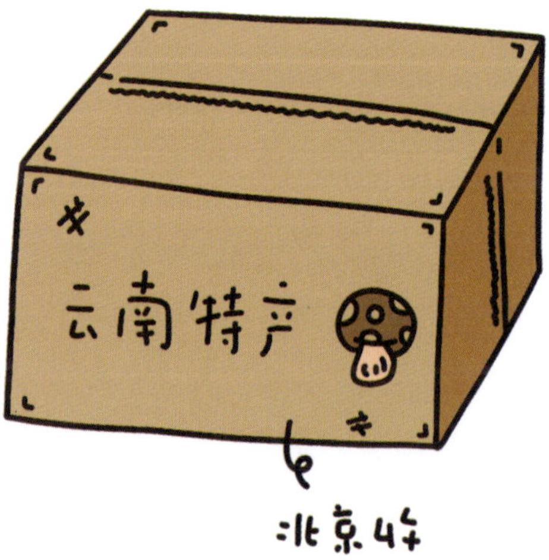

改变消费需求

有些人会说，我想不出有什么新需求。但当网购没有出现的时候，我们也想不到自己有那么多的需求。云南的店主也未必能想到把特产卖给远在北京的你。10年前，路上根本没有那么多快递员，但如今他们已经必不可少。直接改变需求的产品会不会再度出现，谁也预料不到。

经济学随堂笔记

事实上，内循环与外循环从来不是对立的，也不是绝对的。在全球化的背景下，任何一个国家都很难做到绝对的内循环。而注重内循环，为的是不受制于人，遇到极端情况时，依然能够靠自己自力更生。“有内就不需要外”“有外就不需要内”都会带来问题，只有“内外结合”，一个国家的经济才会健康发展。

小思考

如果大家都开始内循环，就会导致大家都要被迫做一些自己不擅长或者不适合的事情，你觉得这样会让自己进步吗？

为什么单纯比较GDP意义不大？

2020 年，中国全年 GDP 为 1015986 亿元，位居世界第二。

中国的 GDP 排第二位啦！

2020 年，欧盟 27 国经济总量约为 15.2 万亿美元，同比下降约 6.2%；而作为世界第一大经济体的美国，这一数字约为 20.93 万亿美元，同比下降 3.5%；我国的总量为 14.73 万亿美元，同比还上升了 2.3%。从经济总量看，中国与美国仍有差距，但离欧盟的距离较近，甚至有可能在未来实现反超。

如果反超了，真的那么值得欣喜吗？有没有哪个数据，是我们忽略的？

365天

什么是GDP？

简单说，GDP就是一个国家（或地区）在一段时间内（通常为一年）创造的总价值。它反映了一个国家的经济实力和市场规模。总量大当然代表有实力，但决定质量的并不是总量，而是人均。蛋糕大但分蛋糕的人特别多，未必比蛋糕小、分蛋糕的人少好。中国人口多，GDP一分摊到人均，就少了。2020年，中国人均GDP突破一万美元，很值得高兴，而美国人均GDP高达6.3万美元，欧盟的人均GDP接近3万美元。其中，德国、英国、法国的人均GDP都在4万美元以上。这样看来，我们和欧美一些国家之间的差距依然很大。

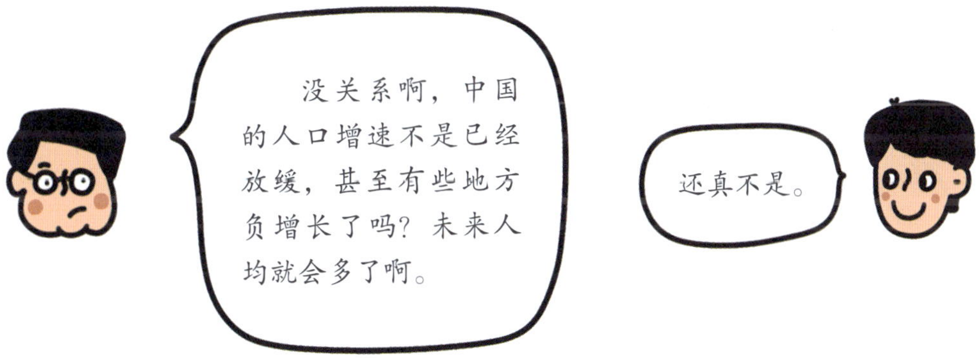

人口老龄化

根据联合国的标准，当一个国家或地区65岁及以上老年人口数占总人口数的比例超过7%时，则意味着这个国家或地区进入老龄化。

2021年的人口普查数据显示，在中国31个省份中，有30个省份65岁及以上老年人口数占总人口数的比例已超过7%，其中12个省份的这一比例已超过14%；60岁及以上人口已超2.64亿，占18.70%。这就意味着中国已经步入老龄化时代。虽然中国劳动年龄人口依然很多，但在过去10年里减少了4000多万。

贫富差距

中国也面临着贫富差距悬殊的问题。如果说中国的人均GDP是一万美元，那有可能是一个人创造了9万美元，而另外9个人创造了一万美元。在这种情况下，即使这个平均值在世界上位列第一，大部分人还是缺乏认同感。而且贫富差距太大，也不利于经济发展。当然，欧盟和美国也存在贫富差距过大的问题。

产业结构

大家都听说过第一产业、第二产业和第三产业，但你知道它们指的是什么吗？

第一产业是指农、林、牧、渔业；第二产业是指采矿业，制造业，电力、燃气及水的生产和供应业，建筑业；第三产业是指除第一、二产业以外的其他行业，如交通运输业、商业饮食业、金融、教育文化等，都属于第三产业。这3个产业的总量构成了经济总量。

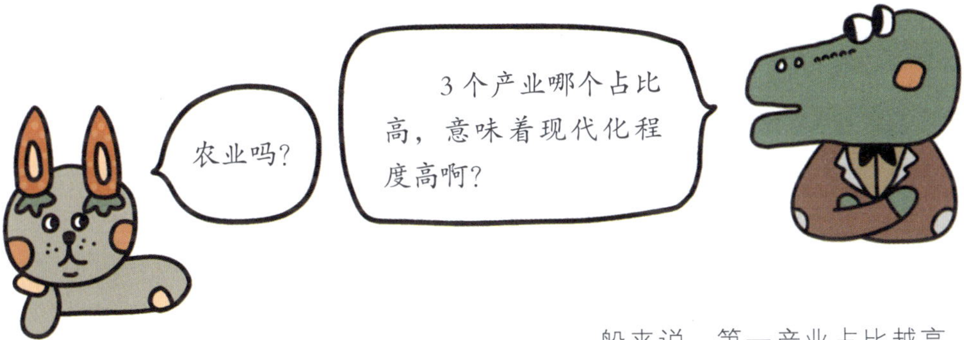

一般来说，第一产业占比越高，只能证明这个国家工业化现代化程度越低。如果第一产业的占比很高，说明这个国家的主要任务还停留在解决温饱阶段。

以家庭为单位来说，如果一个家庭的收入基本都用在吃饭和交水电费上，那是不是说明这个家庭的生活质量很高？当然不是，如果家庭的收入高，你肯定还会有诸如换手机、换家电之类的想法。所以，第三产业的比例越高，才意味着经济越发达、现代化程度高。

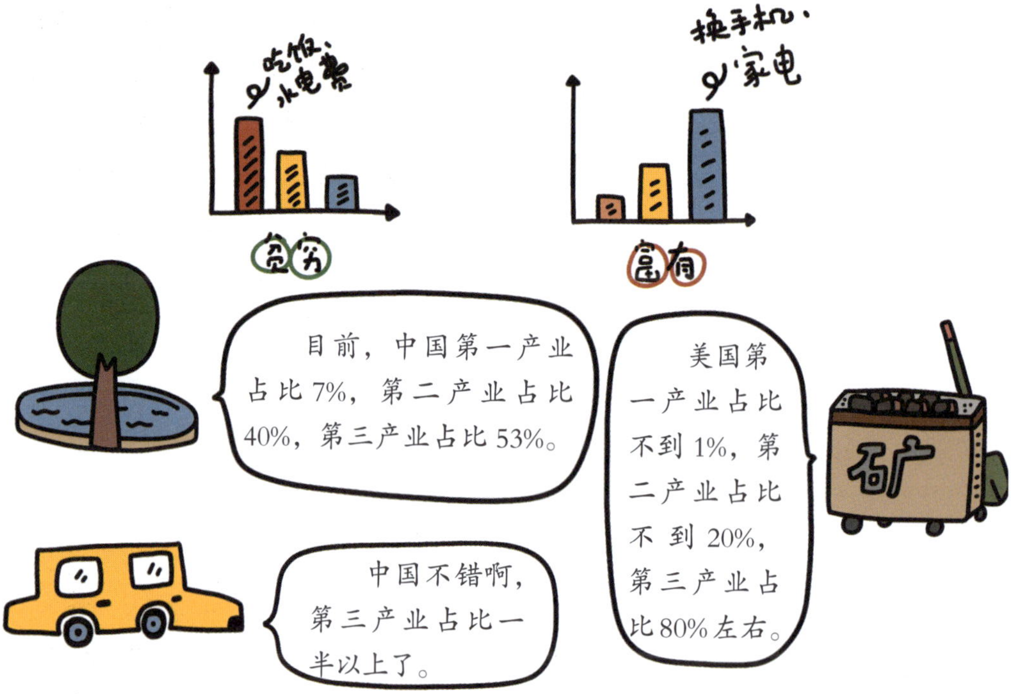

美国第一产业占比低，并不意味着美国的农业落后。第三产业不是平地起高楼，它占比高，说明了第一产业和第二产业发达。如果一个国家的旅游业和金融业很发达，那就说明这个国家的人消费能力强，存款多，而消费能力和存款大部分来源于工资，工资高代表着企业、工厂的经营状况良好；餐饮业是第三产业，但它的发达程度依赖于第一产业；机械设备维修属于第三产业，它的火爆则意味着第二产业的发展也很不错。所以，反向推理，第三产业占比高说明国家的整体实力相对强劲。经济学上有一个理论是“配第－克拉克定理”，说的就是这件事。

配第—克拉克定理

因为经济发展了，“吃饱”成了比较轻松的事情，以农业为主的第一产业就不再是拉动经济的主力，只需要有限的从业人员，就能满足社会需求；而以工业、制造业为主的第二产业，比如汽车业、家电业等，会成为拉动经济的力量，占经济总量的比例也会增加；同时，像交通运输业、餐饮服务业等第三产业，也会蓬勃发展，占更大的比重。这就是配第－克拉克定理总结出的：随着经济发展和人均 GDP 的逐步提高，劳动力会呈现从第一产业向第二产业转移，再向第三产业转移的发展态势。

经济学随堂笔记

单纯比较国与国的 GDP 意义不大，中国确实是大国，但要变成强国依然需要持续的努力。

小思考

收集一下父母或者亲戚从事的工作行业信息，看看他们的工作都属于什么产业？

大数据有多重要？

“大数据”这个词听起来科技性就很强。
数据就是数据，我们的身高、体重、一场篮球赛的比分都是数据，那什么样的数据才能叫大数据呢？为什么没有小数据呢？
以身高和体重来说，一个人的身高、体重可以叫作个人数据，那10个人的算不算大数据呢？100个人、1000个人呢？到底多少人的数据才能称之为大数据呢？

什么是大数据？

单纯数量上的“大”，并不是大数据的准确定义；反之，就算数据不是很多，也可能符合大数据的特征。

数据有一定的数量只是一个前提，把各种各样的数据汇集到一起，这可能叫“多数据”。把收集到的数据进行整理、分类、分析，找到它们的关联性，再总结出“过去发生了什么”的同时，预判出“未来会怎么样”，这才算是真正的大数据。

大数据有什么用？

最早提出“大数据”概念的是全球知名咨询公司麦肯锡。麦肯锡公司认为，“数据，已经渗透到当今每一个行业和业务职能领域，成了重要的生产要素。人们对于海量数据的挖掘和运用，预示着新一波生产率增长和消费者盈余浪潮的到来”。

随着互联网的普及，大家都在上网并使用各种软件，每个人每时每刻都在提供着数据：每天购物花了多少钱，在阅读平台上的阅读时间有多长，玩了多少次游戏，走了多少步，外卖点的是微辣还是超辣……

在互联网并不普及的年代，要总结出这些数据是非常烦琐的，需要有人拿着一沓调查表去做调查，而被调查者的回答也未必都是真实的，大家也意识不到这些数据的重要性。但当数据非常容易获取且总量越来越大，一件有意思的事情就发生了——这些数据不仅能总结过去，还能预测未来。

懂得使用大数据的人，更容易取得成功。

如果你喜欢吃辣，经常在外卖平台点毛血旺、辣子鸡，那平台就会通过你的操作，认定你是一个“爱好吃辣的人”，下次你打开软件时，平台就会主动向你推荐“附近的川菜”，让你更轻松地找到喜欢的餐厅；对商家来说，通过平台可以看到周边居民的口味，如果周边这几个小区的居民都喜欢吃辣，那就可以适当调整菜品的口味，以满足消费者的需求。这是一个特别典型的运用大数据的例子。

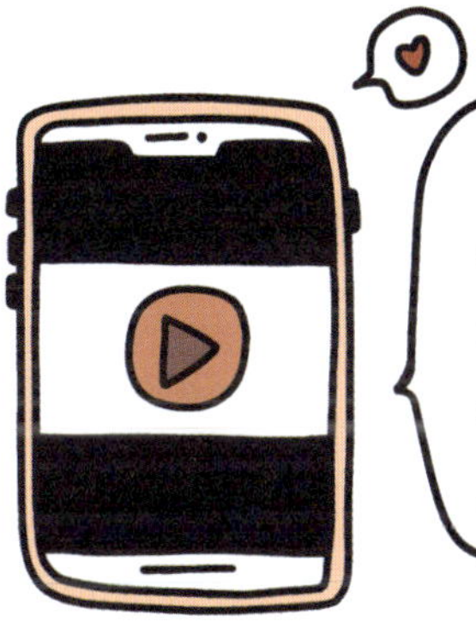

你在浏览短视频平台时，可能觉得“哎呀，都是我喜欢看的内容”，甚至你可能觉得“原来有那么多人在制作我喜欢看的内容”。事实上，这类内容并不占多数，只不过是平台根据你的观看记录和搜索习惯推算出来的。

每个人打开购物网站，看到的推荐商品都会不一样。为什么？因为我们的性别、年龄、购买记录都不一样，网站就把这些数据存储下来，再根据有着和我们同样特点的人的购物习惯，给我们推荐商品，这样我们下单的可能性就会更高。

现在有些城市的路灯或者红绿灯，并不是按照时间，而是根据可能抵达的客流数量设置的。如果发现周边道路往这个方向走的人比较多，就开启这个方向的灯光，这样做既可以达到省电的效果，也可以减少道路拥堵。

大数据对我们生活的影响越来越大。要运用好大数据，最核心的有下面几点：一是，获得大量的数据后，把它们分好类；二是，找到每个类别的需求，提供针对这个需求的服务；三是，新服务会带来新数据，新数据带来新类别，新类别带来新需求，新需求带来更新的服务。循环往复，大数据也因此不断累积。

大数据的风险

当然，大数据也不完全代表着先进与科技，在实际生活中，大数据也伴随着风险。很多人担心的“数据泄露”就是我们这个时代最常见的新风险。

我们总会接到奇奇怪怪的电话，收到奇奇怪怪的短信，对方还能叫得出我们的名字，这些有很大一部分都是骚扰和诈骗电话，是数据泄露导致的。它可能来自我们的一次注册、一次扫码等一些看似非常平常的操作。

在互联网时代，不少企业在服务用户的时候，也会要求用户提供各种各样的信息，开放各种各样的权限。有些是必要的，比如你要购物，总得提供地址和电话；有些则是没有必要的，比如有些修图软件却要读取你的通讯录。

在不少企业看来，“哪怕没用，也要获取你的数据”，这似乎成了一种潜规则，而这些数据未必能得到很好的保护，甚至可能被出售给其他企业，变成了骚扰电话的源头。

有些人知道大数据很重要，但只会收集数据并没有很好的分类、分析能力，也想不出怎么“加工”，纯粹变成了收集和贩卖资料，这并不属于大数据应用，只是信息贩卖。

有人提出，在大数据时代个人应该拥有“被遗忘权”。被遗忘权就是有权利要求数据商不保留自己的某些信息。这也说明在大数据时代，加强对用户个人信息的保护，是一种趋势和潮流。

经济学随堂笔记

大数据不是“很多数据”，而是对数据的分类、分析和利用。在互联网时代，我们每天的生活都在产生大量数据，而这些数据也为政府、企业改变自己的服务内容提供了依据。这样的改变在互联网尚不普及的时候，是无法想象的。

在绝大多数情况下，大数据正推动着我们的生活向更美好的未来进发，我们可以快捷地发现自己喜欢的东西、找到最快的交通路线、培养健康的生活习惯，让我们的学习、工作、生活都更有效率，但同时我们也要关注数据保护的重要性。

如何在提供便利的同时，保护数据提供者的隐私，将是大数据采集和运用时不可避免的课题。

小思考

你在生活中有接触到大数据吗？有因为大数据受益吗？是什么样的事情呢？

为什么会出现财务造假？

2020 年 4 月 2 日，瑞幸咖啡公布了一份内部调查文件承认虚假交易 22 亿元。公告称，瑞幸咖啡内部调查显示，从 2019 年第二季度到第四季度与虚假交易相关的总销售金额约为 22 亿元。美股开盘后，瑞幸咖啡的股价暴跌 80% 以上。

经过 43 天的停牌，美国纳斯达克恢复了瑞幸咖啡的交易，但同时，它也接到了“摘牌通知”。也就是说，在走完听证流程之后，瑞幸咖啡将退市。摘牌退市只是一个开始，瑞幸咖啡将面临后果更为严重的处罚与巨额赔偿，原因就是：造假。

财务造假的动机

企业的造假动机决定了造假行为，究其本质，无非就是一个“利”字。一般来说，造假动机有下列几个。

一是为了完成上级单位的考核。上级单位要求企业今年完成 200 万元的利润，完不成就要扣奖金、裁员。到了年底，发现目标无法完成，就通过造假向上级单位表明目标已经完成。

二是为了获取信贷。为了向放款方（如银行）证明自己的还贷能力，对财务状况进行了“美化”。

三是为了偷税漏税。如果盈利多，需要交的税自然就多。所以，企业会选择多列费用、少计收入等方式，达到少交税或不交税的目的。

四是为了获取更多利益，这也是最常见的动机。典型的例子就是企业为了上市编造财务信息。因为证券交易所对上市公司的资质有要求，如企业规模、企业盈利状况等。有些企业为了成功上市，并且吸引投资者，就会把自己的财务状况伪造成符合上市要求的样子。上市之后，企业为了让股民购买自己的股票，把企业当成“好公司”，也会虚构各种“好看”的数据。这些严重失实的数据，会让很多根据企业的数据进行投资的人蒙受重大损失。

如何发现财务造假？

发现财务造假是一件很困难的事情，许多专业的投资人在一开始也未必能看出来，而往往是等到财务问题比较明显、漏洞比较大的时候，才能发现财务造假。

不过，也有几个相对简单的辨别方法。

第一，看有没有时间差。一些企业为了在财务报表中把收益做多，就会把那些还没收到的款项先当作收入确认了，把那些应该支付的款项延迟确认。

第二，看有没有转移收入。许多企业都会有主营业务和非主营业务，一般来说，大家都会根据主营业务的好坏来判断 家企业的竞争力。于是，有些企业会把非主营业务的收入算到主营业务里，把主营业务的成本算到非主营业务里，营造一种假象。

第三，看有没有很难算清楚的资产。例如，一家种植人参的公司号称价值600万元。但人参埋在土里，生长周期非常长，又不能一根根挖出来评估，这就给造假留下了很大的空间。

虽然有预谋的造假并不容易发现，但纸终究包不住火。为了短时利益耍的小聪明，可能一时得意，但总有被揭穿并付出巨大代价的时候。

财务造假的危害

对企业来说，财务造假一旦被发现，就会影响企业信用，必然给企业带来负面影响，也会给正常运营带来一定冲击。毫无疑问，财务造假是违法行为，它会误导投资者，让投资人蒙受损失，造成比较恶劣的社会影响。造假人也会为此付出沉重的代价，企业将因触犯法律而受到制裁和惩罚。

经济学随堂笔记

之所以财务造假行为时有发生，是因为它背后的利益诱惑。“可能有意外之财”和“可能不会被发现”的侥幸心理，依然是财务造假行为发生的主要原因。但任何造假都会有蛛丝马迹，一开始可能不会轻易被发现，但随着漏洞越来越多、越来越大，被发现的概率也会越来越大。所以，如果有机会从事财务工作，一定要记住一条最基本的原则：不做假账。

小思考

你觉得怎样才能减少财务造假的行为？

获客成本是广告费吗？

成本很好理解：租的场地、雇的员工、买的原料……这些都是传统意义上的成本。

获客成本听上去有一点儿虚幻——这不就是获得客户的成本吗？它是不是广告费呢？

为什么有些企业在说，“哎呀，获客成本越来越高”，这说的是广告费越来越贵呢，还是广告效果越来越不好呢？

什么是获客成本？

顾名思义，获客成本就是指获取客户的成本。

做生意嘛，都需要有客户。手机软件需要有人下载，电影院需要有观众入场，餐厅需要有顾客就餐……

一个新的产品需要通过各种各样的方法，让大家发现、注意、试用、付费，并且再购买……

怎么让大家发现呢？

做广告。例如，在电视、网络、电梯投放各种各样的广告视频；赞助各种各样的综艺节目；找各种公众号写文章推广；在商场里贴海报；在路上发传单……这些都是获客的手段。

还有一些让利的营销手法也是获客：比如用户分享之后可以领红包、限时促销、免费试用……也是获客的方法。

上面所说的这些，叫作获客支出——为了获得客户，我们付出了多少钱，并不是大家所说的获客成本。

所谓的获客成本，就是把所有这些支出除以实际获得的客户，最后得出来的数字。

但在实际生活中，关于获客成本的表述有两个小陷阱。如果有人说“我的方法的获客成本是多少多少”时，你需要追问两个问题，才能得到正确答案。

第一个问题是这个“客”，是看热闹的粉丝，还是愿意付费的用户？如果按照最为严格的说法，愿意付费的才能叫真正的用户，不然只能叫意向用户。

如何让意向用户尽可能地转变为真正的用户，既需要产品本身过硬，也需要避免产生无效用户。例如，一个产品面向的人群是20岁左右的女性，那就应该尽量让符合这个条件的人试用。

第二个问题是这个“获”的来源，不同的地区，不同的方式，决定了不同的成本。所以，需要仔细分析统计各种来源的数据，最终给出更为合理的推广方案，这是一门大学问。

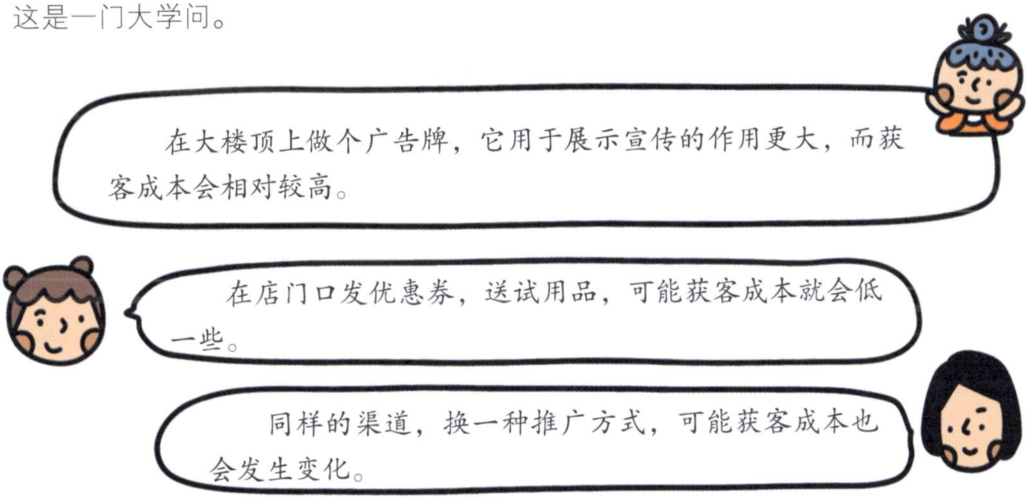

为什么获客成本越来越高？

很多企业都抱怨获客成本越来越高，这主要是两个原因造成的。

一是竞争对手越多，获客成本越高。例如，某个区域只有一家餐厅，这家餐厅可能只需要少量的推广费用就会宾客盈门。但如果有人觉得在这个区域开餐厅“生意不错”，决定在附近也开一家餐厅，那两家餐厅的获客成本都会增加。

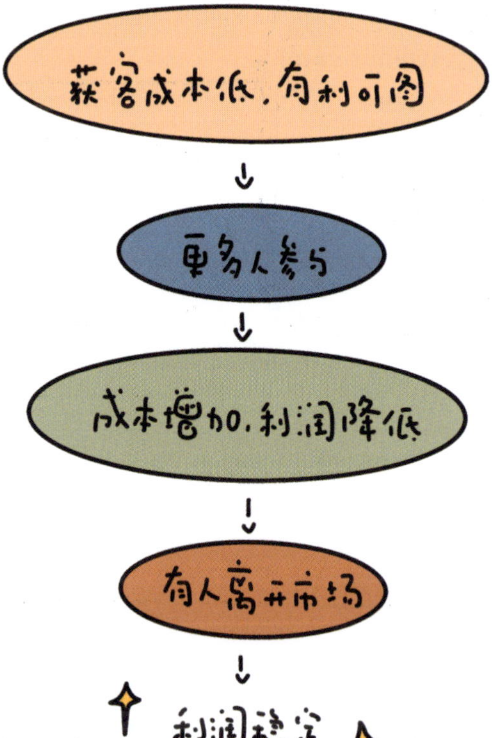

二是新鲜感越低，获客成本越高。再好吃的饭菜，连续吃一周也会腻，获客的方式同样如此。同一个免费活动在第一次举办时可以吸引大量用户，但如果接二连三地举办，大家就会觉得没必要那么着急去抢，反正以后还会有的。

所以，推广和营销的方式，都要不断地推陈出新，不然它的效果很可能越来越差。

经济学随堂笔记

获客成本的算法五花八门，很多时候是人们对于“客”的不同理解导致的。企业的获客成本逐渐提高，很可能是两方面的原因：竞争对手的加入和新鲜感的缺失。以前手机应用很少的时候，大家都主动找应用下载；但现在要想让人下载一个新的应用，就比较困难了，这是一个获客成本提高的典型案例。

小思考

如果你是企业的负责人，该采取哪些方法降低获客成本呢？或者说，这个成本到底可不可以降低？

区块链到底会变成什么？

区块链到底是什么？
它和财富究竟有没有关联？
市场上那些号称自己是“区块链”的项目，到底是真是假？
区块链是一项能够主导未来的技术吗？

了解区块链

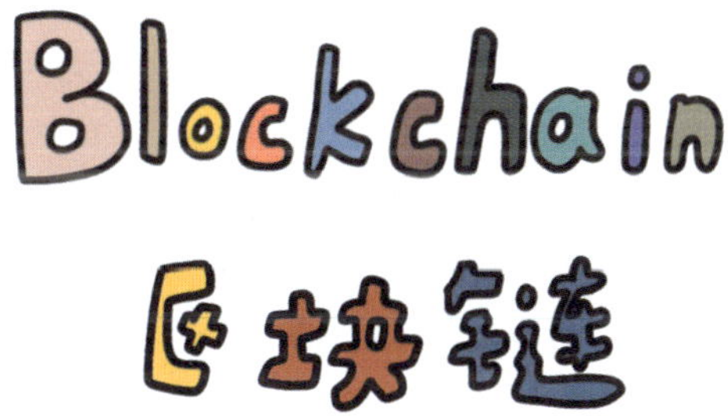

区块链是英文单词Blockchain的直译，它其实是一个去中心化、分布式的加密存储工具，但这样说也太专业了，我们来看看下面两个例子。

第一是记账。如果全家只有妈妈记账，那有一天妈妈不小心记错了或者想偷偷改一改，这个账就出问题了。而区块链式记账，就是让这个记账过程不仅在妈妈的记账本里，也会同步在爸爸的、你的、你全家的记账本里，每个人就是一个区块，把你们的记账本关联起来的规则就是“链”。

第二是排队。排练大型团体操时，成百上千的人要组成队形，不时进行变化，一个人要记住所有人的位置很难。但其实他根本不用记住几千人的位置，只需要记住自己前后左右分别是谁就可以了。每个人都记住自己的前后左右是谁，一个很大的阵形就能组合完成。每个人和前后左右的人就是一个区块，前后左右的关系就是“链”。

这实际上是对现有互联网时代的一个颠覆。因为到目前为止，我们的数据存储依然是集中式的。我们的钱存在银行、微信钱包、支付宝……我们的照片、文档存在各种网盘……所有这些平台承担着存储和保护的功能。但假设这些平

台遭到了攻击，那我们的数据就被盗取，我们的资产、信息安全就会受到威胁。但在区块链体系里，每一个修改都需要得到所有用户的认可，虽然每个人的数据不会被其他人看到，但只要有一个人进行了修改，大家都会知道数据在哪里被修改了。

区块链的应用场景

区块链不需要平台强调“我有多么值得信任”，它只强调“所有参与的人都见证、都记录，没人可以抵赖”。它试图解决的问题，是不用考虑信任问题，交易双方或者多方自然就能产生信任。

在生活中，区块链可能率先应用于所有可能产生欺诈或者虚假数据的领域，比如养老扶贫等事关国家财政支出的领域。在原来的模式下，有些地方拍一些照片，临时编一个材料，可能就符合补助标准了，检查组也未必能对细枝末节进行全面核查。而区块链技术就可以有效解决这个问题——以前登记的信息不可能偷偷摸摸改，因为一旦修改会通知这个系统里所有的人。他们可能看不见你的数据，但一旦你进行改动，他们的数据库就会有警报，这就大大降低了造假的可能性。同理，在商品防伪、食品安全领域，区块链技术也会迫使大家做“老实人”。而在服务领域也能应用，比如你在 A 医院的就诊

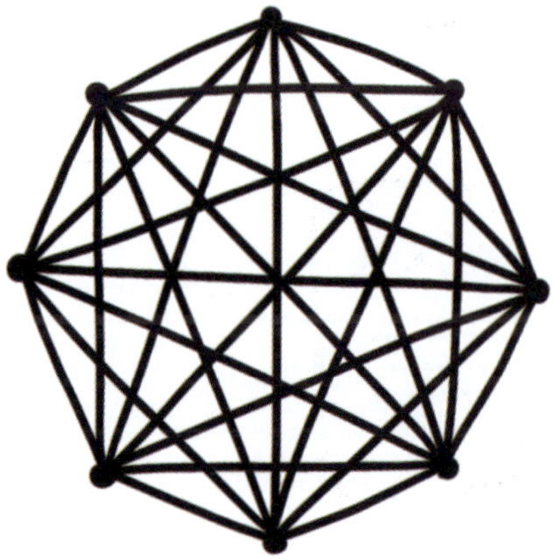

信息，在B医院也能看到，就算A医院有误诊，修改病历也没用，因为其他医院也全程记录。原来可能存在的走后门、搞定一两个关键环节的做法，在这个体系中会彻底失去可能。

区块链要求每个存储节点都放上所有用户的加密信息，那就需要消耗大量资源。这就意味着，要实现区块链的安全性需要消耗大量能源、大量存储空间、大量时间。因此，从目前看，它更适合低频率使用、对安全性要求很高、对时效性没有太多要求的业务。

经济学随堂笔记

区块链是一种工具，而不是投资项目，它实际上就是改变现有的信用体系，从“我要你相信我”到“制度和系统让你相信我”。区块链很可能率先应用在对安全性要求高、对时效性要求低的项目上，也不是每个项目都有必要使用这个技术。

小思考

你了解区块链了吗？列举一个适用区块链的例子，说说在这个例子中区块链应用的好处和缺陷。

汇率为什么总是上上下下的？

汇率似乎是谈论国际经济问题时绕不开的话题，甚至有个词叫“汇率战”，即两个国家为了让对方的货币升值或者贬值，想尽一切办法。

人民币贬值了，要赶紧买点儿美元啊。

人民币又升值了，又回到了 6 和 7 的区间范围。

哎呀，还是存点儿人民币好。

汇率真的和我们的生活息息相关吗？

汇率的概念

汇率是一个国家的货币兑换另一个国家的货币的比率。这个世界上没有“世界币”，拿黄金直接买东西也不现实。例如，A 国要买 B 国的东西，就得先用 A 国的货币购买一种特殊的商品——B 国的货币，然后用 B 国货币才能买 B 国的东西。而一元 B 国货币需要 5 元 A 国货币才能买到，那么这就是 A 国货币对 B 国货币的汇率。

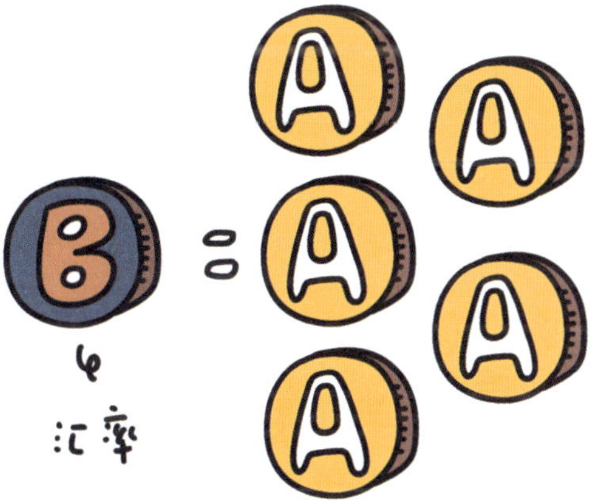

我们到国外买东西，不管是用信用卡还是支付宝，实际上都是先兑换成外汇，再购买的。

大部分人对汇率的波动并没有感觉，汇率升到 8 似乎没关系，降到 5 也没感觉。反正大家赚的是人民币，花的也是人民币，人民币和美元或者其他货币怎么兑换，好像和自己并没有什么关系。

汇率上升和下降意味着什么?

这里需要提到常用的标价方法——直接标价法。这是常见的一种计量体系，就是“一外币兑换多少本币”，这个数字就是我们常说的汇率，比如一美元兑换6.8元人民币，这个6.8就是汇率。

如果美元汇率上升，到了7，那就意味着人民币贬值，因为这时候，一美元可以兑换7元人民币了；反过来，如果美元汇率下降，比如到了6.6，就意味着人民币的升值。所以，在直接标价法体系下，汇率上升意味着本币贬值，汇率下降意味着本币升值。

还有一种标价方法叫作间接标价法，这个方法是本国货币不变，浮动的是外币，也就是，“一本币兑换多少外币”，这个数字和直接标价法体系下的汇率互为倒数关系，数字上涨就意味着本币升值，下跌就意味着本币贬值。

因此，不同的标价方法对升值和贬值的定义是相反的，但中国一般使用的是直接标价法。

货币贬值是坏事吗？

一说“人民币贬值”，大家的第一反应可能是“手里的钱不值钱了”，所以还是“升值好”。事实是这样吗？

其实不管是升值还是贬值，都有好处，也都有坏处。就拿人民币来说，如果贬值，那些出口企业，就是把商品卖到国外的企业可能就乐开了花。例如，贬值前人民币兑美元汇率为 6.8，现在变成 7 了，那会出现什么情况呢？原来卖给美国 100 美元的产品，拿回来的 100 美元，可以兑换成人民币 680 元，现在 100 美元能换到人民币 700 元。商品的售价没有变化，企业却多出了 20 元的利润。这就是汇率上升给出口企业带来的好处。

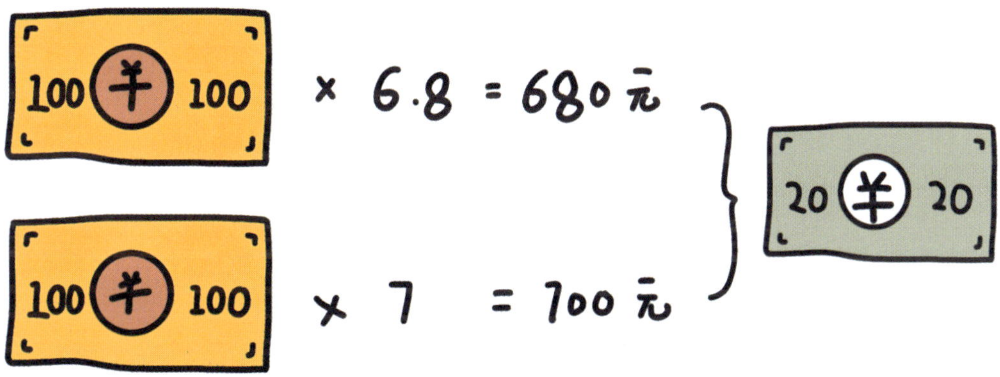

如果一家企业想占领国外市场，还可以把商品价格定得低一些。这样外国人觉得降价了，购买的意愿就更强烈，而出口企业的利润并没有减少。但反过来，对进口企业来说，贬值就不太好了。所以，本币贬值利好出口，但不利好进口。

但贬值还是升值，都要考虑一个“度”的问题。首先，一个国家没有进口不行，没有出口也不行。其次，当一个国家国内产能过剩，需要往国外打开销路时，往往就会想着偷偷贬值，但其他国家会对这种做法保持警惕。如果进口商品的销售影响到当地企业的生存，让当地的工厂倒闭，工人失业，那进口国就一定会通过征收关税等各种手段，保护本国企业，不让出口国通过低价占领市场。最后，如果本币三天两头贬值，国内物价不断上涨，就会影响人们的正常生活。因此，国家会采取措施，把汇率控制在一定的范围内，正常情况下，汇率不会出现大起大落的现象。

如果一个国家的汇率总是大起大落，就没人敢用了。放在钱包里的钱，或许第二天就贬值了，最终会导致本国货币失去信用。在有些汇率不稳定的国家，当地人宁可用美元也不用本国货币，本国货币几乎成了一张废纸。如果国际社会上都不愿意用某个国家的货币，那汇率对于这个国家也就没有意义了。

为什么我们感受不到汇率波动？

首先来看数字。其实 7 和 6.9 或 7.1，没多大差别，最重要的是一个心理逻辑。一旦人民币美元汇率过了 7，大家就会觉得后面会有 7.1、7.2……人民币贬值的压力会持续上升。

但从后续的发展来看，市场自身已经找到了新的平衡点，人民币并没有继续贬值，反而人民币兑美元的汇率又回到了 6 的区间。这说明现阶段的汇率是两国博弈后双方都能接受的情况。

如果人民币选择贬值，客观来说，有这么一部分人，他们的利益会受到损害，比如留学生，对他们来说，国内寄过去的生活费，能换取的美元比以前少了。如果人民币继续贬值，使用以美元结算的信用卡相对划算，而使用以人民币结算的信用卡将会还更多的利息。买进口商品所需要支付的人民币会多一些。

因此，如果人民币贬值，国内不少出口导向型企业将因此获得更好的机会，像纺织、服装类企业，人民币的贬值会使得这些企业的产品价格相对更低，有利于出口外销；像国内的汽车业，人民币贬值可能使进口汽车价格吸引力下降，从而促进国产汽车的销量上涨。

但如果我们不是身处对外贸易的一线产业，小幅度的汇率变化还不至于让我们形成太强烈的感受。

在岸人民币汇率和离岸人民币汇率

在岸人民币汇率，是指在中国境内换汇的汇率；离岸人民币汇率，是指在中国境外换汇的汇率。

我们通常说的兑换外币，一般是在中国境内的银行完成兑换，所以使用的汇率是以在岸人民币汇率作为兑换标准。简单来说，就是在中国境内兑换外币用的是在岸汇率，在中国境外的地区用人民币换外币用的就是离岸汇率。

之所以要区分在岸人民币汇率和离岸

人民币汇率，是因为人民币还没有完全国际化。离岸人民币汇率因为更加市场化，受到的管制相对较少，所以波动更大。在岸人民币汇率受央行的影响，波动不大，特别是当市场发生风险，央行会为维护外汇的稳定而对货币市场进行一些调整。

在岸人民币汇率和离岸人民币汇率会产生一个差额，一旦这个差额过大，投机者就可以通过在低汇率的一岸买进，到高汇率的一岸卖出，从而进行套利。同时，大量的套利又会很快让离岸和在岸的汇率差快速减少。例如，原本有人赚 4 分钱的差价，结果有人为了抢生意，赚 3 分钱也愿意，有人甚至赚 1 分钱都愿意，这样汇率就会迅速贴近，所以汇率的差别并不会太大。

经济学随堂笔记

人民币阶段性的升值和贬值都有利有弊，并没有绝对意义上的好或者坏。只有波动幅度很大的升值或贬值，才会对人们的生活产生影响。

小思考

请你查一查，当前的人民币兑换美元的在岸人民币汇率和离岸人民币汇率分别是多少？

为什么要反垄断？

2020 年，国内不少互联网巨头都面临了反垄断调查——这些公司在某个领域“一家独大”，使得监管部门陆续出台了一些针对它们的管控措施和整改方案。

垄断与竞争的循环关系

企业为了占据垄断地位而展开竞争，表面上看对公众有利，但我们需要考虑两个问题：一是最后企业之间如果分出胜负了，一家企业形成了垄断地位，那消费者还会有实惠吗？二是那些竞争是否会对所有的消费者都有利？

如果一个外卖平台规定，新商家要选择在这个平台营业，就不可以在其他平台营业。那么这个平台的做法就具有垄断色彩。

如果某种商品被垄断了，产生的后果则更严重。假设世界上只有一个农民，那么粮食的供应就由这个农民垄断了，他就可以生产很少的粮食而卖很高的价格。他可以把粮食的价格控制在每千克 100 元，就算大家都觉得价格太高，也没有其他选择——因为只有他这里能买到。他甚至可以囤积粮食，造成供不应求的现象，进一步提高粮食价格。

如果这时候又有一个农民出现了，以每千克 50 元的价格出售粮食，那每千克 100 元的价格就失去了优势。第一个农民为了把自己的粮食卖出去，就会降低价格。两个农民会互相竞争，最终的价格也会回到合理的范围内。

竞争的优点就是产品的每个供应者都想抢市场，结果产品的价格下降，消费者会最终受益。

有意思的是，垄断和竞争常常是交替出现的。例如，上面的两个农民发现再竞争下去会两败俱伤，于是共同约定

了一个新价格，这样就形成了一个新的垄断联盟，他们可以再往上抬高价格；但他们在抬高价格的过程中，有人发现这个行业“能挣钱”，也加入了农民的行列，这就又形成了新的竞争。

但这种循环有时候很难形成，比如竞争对手一出现就被强势打压，新的农民一出现，原来的农民就把他的地收购了，甚至破坏了。当这种现象出现的时候，就需要监管机构的干预，让物价和服务更为合理。

垄断的前提条件

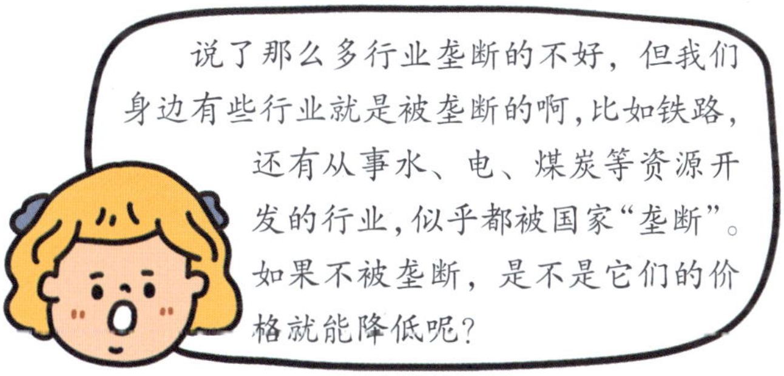

如果铁路或者能源领域完全放开，那会发生什么情况？

——地下可能铺设了七八家自来水公司的管道，其中有一条稍微便宜一些，你可能选择了其中一条；北京到上海同样的铁路线路可能有六七条……

这就是重复建设造成的浪费。如果缺少统一的规划，在能源等领域进行重复建设，会有大量的资源被浪费。而这些被浪费的资源同样要由消费者买单。例如，六七条一模一样的铁路线路，每条线路上的列车都空空荡荡的，而每一家运营公司都需要提高票价，才能收回成本。因此，国家对水、电、煤炭、土地等公共资源进行垄断管理，对公众来说是有利的。

竞争是否对所有消费者有利？

合理的竞争对消费者是有利的，但为了垄断而采取的竞争则会损害一部分消费者的利益。

市场上常见的是通过亏本的方式，让竞争对手难以为继，双方比拼的是谁更“亏得起”，比如共享单车平台和各种社区团购。

但亏本本身并不符合正常的商业逻辑，因此会出现大量预支型的营销手段：即让消费者购买会员或者充值。如果这些商家是竞争的失败方，那用户所支付的会员费和预付费用一般都很难退回。最终在竞争中得到实惠的只有选择了竞争中胜利者的那部分用户。而胜利者在形成优势垄断后，也可以通过修改规则等手段迫使用户不得不接受各种不利条款，因为这时，用户已经没有其他的选择了。因此，急于取得垄断地位的竞争，对消费者而言并没有普遍且长期的好处。

两败俱伤

经济学随堂笔记

正常情况下，垄断市场的商品价格是高于竞争市场的。因为厂家没有必要大量生产，也没有必要压低售价。竞争确实会给消费者带来实惠，但如果竞争过于惨烈，是亏本式竞争，那么这种实惠持续的时间就会非常短，也无法覆盖所有人。

小思考

你觉得垄断是企业发展的必然趋势吗？你可以举一个例子来说明垄断的坏处吗？

什么是国与国之间的贸易摩擦？

虽然我们常说和气生财，但只要有商业活动，就难免出现一些矛盾和争执。每一方想获得更多的利益，希望另一方能做出妥协。有时候双方能取得一致，有时候很难调和。当这种矛盾出现在国际贸易领域时，国际贸易摩擦就出现了。

贸易摩擦的产生，不能简单地用“好人”“坏人”来理解。

贸易摩擦是国际贸易中的必然现象

两个国家之间贸易摩擦的源头，往往是因为双方在贸易往来中的不对等：当一方通过国际贸易获得了利益，另一方却获益不高。眼看着本国市场被不断蚕食，自己产品的竞争力又比较有限。于是，获益不高的一方就会采取一些贸易保护措施，以提高本国产品的竞争力。

例如，有一个国家生产的商品既贵又不好用，大家都愿意去买外国生产的既便宜又好用的商品。这个国家的政府就开始着急，我们自己生产的商品怎么办？商品卖不出去的话，就会有企业倒闭，有很多人会失业。于是，政府就开始制定加征关税的政策，进口的商品要交更多的税，这些商品的价格就会上涨。这样一来，这个国家生产的商品的销量就得到了保护。

guān shuì
关税

关税指一国海关根据该国法律规定，对通过其关境的商品征收的一种税。关税一般属于各国国家最高行政单位指定税率的高级税种。对对外贸易发达的国家来说，关税往往是国家税收甚至国家财政收入的主要来源。政府对进出口商品都可征收关税，但进口商品的关税最为重要，是主要的贸易保护措施。

贸易壁垒

当一个国家的某个行业的产品没有竞争力而别的国家的该行业的产品既便宜又好用时，这个行业的命脉就会掌握在别国的手里，但自己国家的这个行业的产品一时间又提高不了竞争力，怎么办？这个国家就会采取一些措施来制造贸易壁垒。

贸易壁垒主要是一国对外国商品、劳务进口所实行的各种限制措施，比如增加关税或发布其他贸易禁令。这其实是最简单粗暴的做法。它能解决问题吗？从历史上看，以往设置贸易壁垒的结果是：基本没有解决问题。

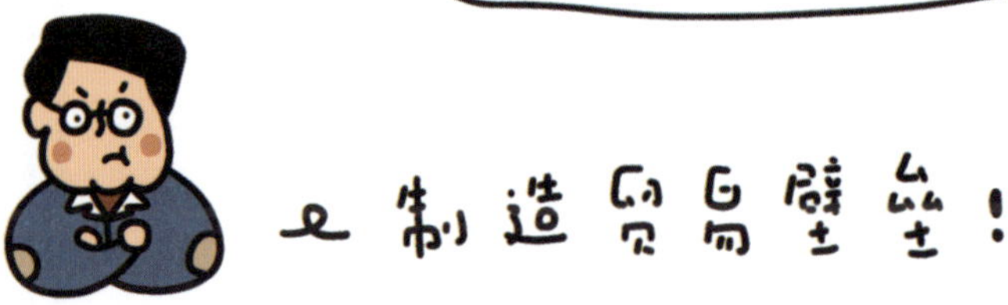

1929年，美国的产能严重过剩，产品积压，工人失业。为了解决这个问题，美国采取了针对贸易伙伴的限制措施。在美国宣布提高进口商品的关税之后，贸易伙伴们也不甘示弱，采取了报复性关税措施。你不让我的企业以合理的价格到你的国家来销售产品，那我也不让你的企业以合理的价格到我的国家来销售产品。

从1929年到1933年，仅4年间，由于各国纷纷提高关税，美国在进口商品总额降低了66%的同时，出口商品总额也降低了61%，全球贸易规模萎缩了约66%。美国自己遭遇重创，失业率达20%以上。

怎样顺利解决国际贸易中的摩擦?

一个国家首先还是要自己强大起来，拥有反制力，既可以拥抱开放，也能自力更生，需要但不依赖。不然，只有别人可以限制自己的出口商品，自己却不能限制别人的进口商品，谈判起来就很难。

合作发展是主流

每年在世界范围内总会发生几次国家之间的贸易摩擦，虽然在大多数情况下对双方都没有好处。但在国家之间实力不均衡的情况下，这种做法确实能在短期内取得一定的效果，因此，贸易摩擦也成了一种商业斗争的手段。但归根结底，合作发展依然是主流。

经济学随堂笔记

经济的发展从来不是线性前进的，匀速或者加速直线前进是一个理想但不切实际的状态。一个国家经济的发展总是呈波浪式、螺旋式前进的，在发展的过程中，我们需要克服许多的波折和困难。

贸易战是正常的利益斗争工具，但发展终究不是靠“小算盘”，而是靠合作。我们还是要相信，所有的保护主义都是开放这条发展大河里的小小浪花。

小思考

试着和父母一起讨论一下中国和美国之间的贸易摩擦。

为什么不能全球统一货币？

我们都知道，美元是目前全球使用最广泛的货币，但不是唯一的货币。除了欧元区之外，几乎每个国家都有一种法定货币。如此多的货币种类，也给各国之间的经济交流造成了一定障碍。

美元霸权地位的来源

说起美元霸权的源头，就必须要提到第二次世界大战之后的布雷顿森林货币体系。第二次世界大战让欧洲和亚洲的许多国家都卷入了战争，消耗了大量人力、物力、财力，尤其是英国。在第二次世界大战之前，英国的综合国力最高，英镑是世界上的“硬通货”，而第二次世界大战期间，大量的英镑被消耗了。消耗到哪儿去了呢？美国。

1944年7月，在美国新罕布什尔州的布雷顿森林召开了有44个国家参加的联合国货币金融会议，通过了《布雷顿森林协议》，建立了人类第二个国际货币体系。在这个体系中，美元与黄金挂钩，美国承担各国政府以官价用美元向美国兑换黄金的义务。各国货币与美元挂钩，美元处于中心地位，起到世界货币的作用。在布雷顿森林体系中，黄金无论在流通，还是在国际储备方面的作用都有所降低，而美元成了这一体系中的主角。

美国在第二次世界大战前期并没有参战。第二次世界大战后期，由于日本偷袭美国珍珠港，美国被迫加入战争，但战争并不是发生在美国本土。因此，战争并没有给美国造成很大的损失，反而因为美国和参战双方做生意，大发战争财，为自己积累了雄厚的资本。第二次世界大战之后，在战争中流入美国的黄金占世界黄金总储量的 2/3。

于是，美国有了绝对的话语权去重新定义世界货币体系。美元也自然而然地接过了英镑的接力棒，成了世界唯一的货币硬通货。在 1944 年通过的《布雷顿森林协议》，重新制定了金本位制，规定了一盎司等于 35 美元的黄金官价。

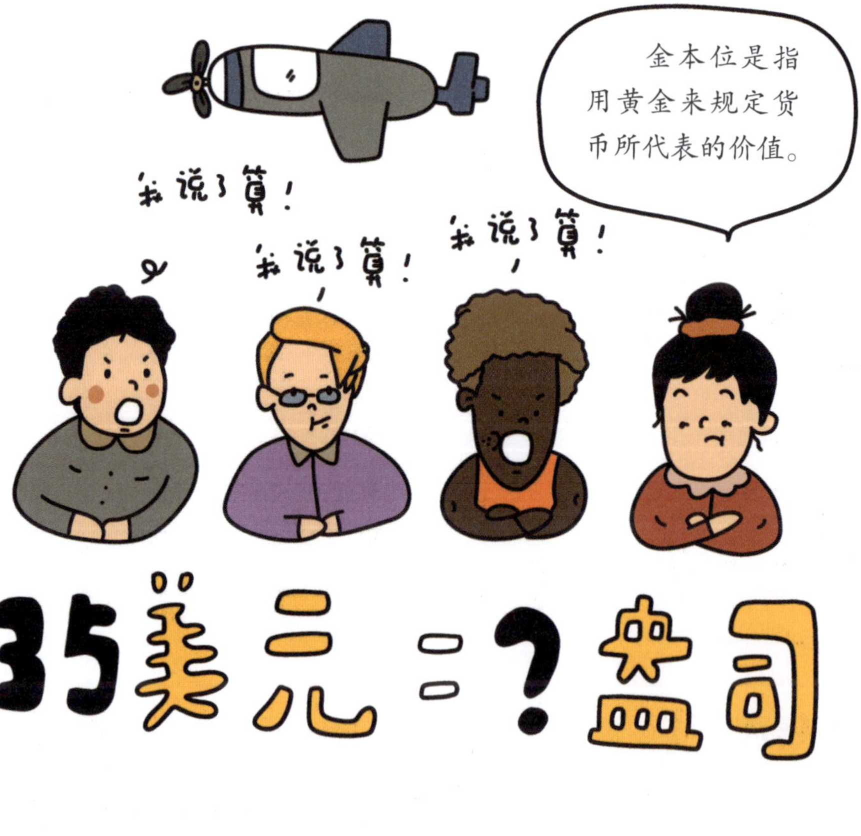

但 1955~1975 年的越南战争对美国的经济造成了重创，美国政府不得不多印美元。而此时，世界各国都在拿美元兑换黄金。美国根本没有那么多的黄金用来兑换，所以宣布美元与黄金脱钩，一时间美元贬值，各国纷纷弃用美元，美元的地位岌岌可危。

美元霸权地位的确立

1973 年，第四次中东战争使得石油价格猛涨，引发了世界经济危机。危机过后，美国找到世界上最大的石油生产国——沙特阿拉伯，提出了一个建议：美国给沙特阿拉伯提供保护，但条件是——任何国家购买沙特阿拉伯产出的石油必须用美元结算。石油是当之无愧的“工业血液”，其重要性不亚于黄金，所以美元和石油挂钩，无异于重新宣告了美元的霸权地位，毕竟没有哪个国家的发展离得开石油。至此，美元的霸权地位基本形成，并一直延续至今。

国际货币的功能

假设在一个商场里，有一个游戏厅、一家餐厅和一家超市，其中游戏厅规定必须有游戏币才能玩，餐厅规定必须用餐票才能买到饭菜，超市规定必须用代金券才能购物。很显然，游戏币买不到餐厅的饭菜，餐票也买不到超市的生活用品，代金券也不能在游戏厅买游戏币。

这里的游戏币、餐票和代金券就相当于各个国家的货币，每个国家的货币在其他国家都是不被认可的！那么，有游戏币的人如何才能去餐厅吃饭呢？很简单，如果人民币在游戏厅、餐厅和超市都被认可，那我们可以把游戏币换成人民币，然后用人民币去买餐票，拿着餐票就可以去吃饭了。人民币充当了游戏厅、餐厅和超市之间中介的角色。国际货币就承担着这样一种中介的角色。

因为美元是当前的国际货币，所以如果中国到沙特阿拉伯去购买石油或者到俄罗斯投资，那么对方就可能会要求用美元来进行交易。

国际货币的利弊

一个国家的货币成为国际货币，有利也有弊，但总体来说利大于弊。最核心的好处就是这个国家可以在世界经济贸易中占据最重要的地位，拥有经济话语权，同时还能规避汇率风险等。如果一个国家希望本国货币成为国际货币，那本国的经济首先要稳定，不能一会儿通货紧缩，一会儿通货膨胀；另外，还需要有应对经济危机的能力。一旦一国货币成为国际货币，开放自由兑换，就可能面临其他国家的挤兑、通货膨胀的冲击甚至是抵制。挑战美元的霸权地位，让世界可结算货币多元化，避免“货币霸权”，其实是世界不少国家都在尝试的事情，但只有这个国家综合实力、稳定程度不亚于美国时，才能在全球范围内得到广泛认可。

经济学随堂笔记

每个国家都需要保持自己的经济独立性，制定符合本国实际情况的经济政策，所以一般不会主动使用另一个国家的货币。事实上，在全球范围内统一货币也是一件无法操作的事情。

但为了国际交易的方便，确实需要有一种被大家认可的结算货币，现在的美元依然是大多数国家认可的国际货币。

小思考

你去国外旅游时是用人民币直接兑换当地的货币吗？如果不是，会兑换成哪个国家的货币呢？